FFRINDIAU

FRIENDS

18 o Ganeuon Newydd i Blant

18 New Songs for Children

CURIAD

Cynllun y clawr: Ruth Myfanwy – gyda diolch i Gwenno Mair, Elin Rhiannon a Glesni Jordan
Cover design: Ruth Myfanwy – with thanks to Gwenno Mair, Elin Rhiannon and Glesni Jordan

Argraffiad cyntaf: Mawrth 2001
First published: March 2001

Argraffwyd gan Cambrian Printers
Printed by Cambrian Printers

ISBN: 1 897664 23 0

Cynhyrchwyd a chyhoeddwyd gan:/*Produced and published by:*

CURIAD, Pen-y-Groes, Caernarfon, Gwynedd LL54 6EY
☎ (01286)882166 • 🖹 (01286)882692
E- 🖹 ymholiad@curiad.co.uk/enquiry@curiad.co.uk
http://www.curiad.co.uk

RHAGAIR

Comisiynwyd *Ffrindiau* – casgliad newydd o ganeuon i blant – gan ACCAC, sef Awdurdod Cymwysterau, Cwricwlwm ac Asesu Cymru. Mae'n cwrdd â'r angen am gasgliad o ganeuon cyfoes sy'n addas ar gyfer Cyfnod Allweddol 1 yn ysgolion Cymru ac yn rhoi cyfle ardderchog i blant wella eu sgiliau iaith yn ogystal â'u sgiliau canu.

Y mae yma ddeunydd amrywiol, gan gynnwys caneuon digyfeiliant a thonau crynion. Mae geiriau'r caneuon yn trin themâu y bydd y plant yn ymateb iddynt a bydd y themâu hynny, ynghyd â'r gerddoriaeth, yn symbyliad ar gyfer canu yn y dosbarth. Mae'r geiriau Cymraeg yn addas ar gyfer yr ysgolion hynny sy'n dysgu Cymraeg fel ail iaith yn ogystal â Chymry Cymraeg. Cynhwysir dwy set o'r geiriau yn ôl yr angen a chyfieithiad Saesneg llythrennol ar gyfer pob un o'r caneuon. Nid yw'r rhain wedi eu bwriadu ar gyfer eu perfformio, ond yn hytrach fel cymorth i'r rhai nad ydynt yn deall llawn ystyr y Gymraeg.

Mae'r CD yn cynnwys dau fersiwn o bob un o'r caneuon: y cyntaf yn berfformiad llawn o'r gân a'r ail yn cynnwys rhan yr alaw fel rhan offerynnol. Golyga hyn y gall plant gydganu gyda'r cyfeiliant mewn arddull *karaoke*. Dylai athrawon wrando ar y CD yn gyntaf gan ddod yn gwbl gyfarwydd â'r caneuon cyn eu dysgu i'r plant. Mae'r recordiad yn cynnwys rhagarweiniad ar gyfer pob un o'r caneuon – gan gynnwys rhagarweiniad lleisiol ar gyfer y rhai digyfeiliant. Bydd hyn o gymorth wrth osod traw yr alawon.

Cynhwysir syniadau ar gyfer gweithgareddau pellach, wedi'u selio ar berfformio, cyfansoddi a gwerthuso, ar gyfer pob un o'r caneuon. Awgrymiadau yn unig yw'r rhain, ac efallai y byddai'n well gennych ddefnyddio eich syniadau eich hunain gyda'r plant. Cynhwysir yn y gyfrol hon hefyd nodiadau i gynorthwyo athrawon gyda chanu dosbarth. Bydd y canllawiau yma o gymorth mawr – yn enwedig i athrawon heb arbenigedd yn y pwnc.

Pob hwyl!

FOREWORD

Ffrindiau – a collection of new songs for children – was commissioned by ACCAC, the Qualifications, Curriculum and Assessment Authority for Wales. It meets the need for a collection of contemporary songs for use in schools in Wales at Key Stage 1 and provides an excellent opportunity for children to improve both their singing and their Welsh-language skills.

There is a variety of material here, including unaccompanied songs and rounds. The lyrics deal with themes that the children will respond to and, together with the music, they will serve as stimuli for class singing. The Welsh words are suitable for use with pupils in those primary schools that teach Welsh as a second language as well as native speakers: two sets of lyrics are sometimes included. Literal translations of the Welsh lyrics are included for each of the songs. These are not intended to be sung, however, but will be useful if you need assistance with the meaning of the Welsh words.

The CD includes two versions of each song: the first version is a full performance of the song whilst the second includes the melody as an instrumental part. This means that children will be able to sing along to this accompaniment in a *karaoke* style. Teachers should listen to the CD first and become familiar with the songs before teaching them to the children. An introduction to each of the songs – including vocal introductions for unaccompanied songs – is contained on the recording. This will assist with the pitching of the melody.

Ideas for further activities based on performing, composing and appraising are included for each of the songs. These are merely suggestions and you may prefer to use your own ideas with the children. Also included within this volume are notes to assist teachers with singing in the classroom. These guidelines will prove very helpful – especially to non-specialist teachers.

Have fun!

CANU GYDA PHLANT

PARATOI

- Sicrhewch eich bod chi'n gwbl gyfarwydd â'r gân ac yn teimlo'n gyfforddus a hyderus gyda hi. Defnyddiwch y recordiad ar y CD i'ch cynorthwyo.
- Dewiswch gân sy'n berthnasol i'r pwnc/thema ac i'r elfennau cerddorol sy'n cael eu trafod yn y dosbarth ar y pryd.
- Chwaraewch y recordiad o'r gân i'r plant gan drafod y geiriau. Bydd hyn o gymorth i roi mynegiant yn y canu.
- Dewiswch gân sydd orau ar gyfer amrediad lleisiol y plant.

DYSGU'R GÂN

- Chwaraewch a chanwch y gân neu'r recordiad sawl gwaith tra bod y plant yn gwrando.
- Dysgwch y gân drwy'r dull ailadrodd, neu gosodwch eiriau allweddol ar boster/tryloywder OHP er mwyn sicrhau y bydd y plant yn codi eu pennau wrth ganu.
- Rhannwch y gân yn frawddegau neu linellau gan ailadrodd pob llinell nes bod y plant wedi'i dysgu
    - h.y. canwch y frawddeg gyntaf – y plant i ailadrodd nes eu bod wedi'i dysgu (geiriau a cherddoriaeth gyda'i gilydd)
    canwch yr ail frawddeg – y plant i ailadrodd nes eu bod wedi'i dysgu
    canwch y frawddeg gyntaf a'r ail frawddeg – y plant i ail-adrodd nes eu bod wedi'u dysgu ac yn y blaen.
- Canwch linellau am yn ail gyda'r athro a'r plant (h.y. rhannwch yn ddau grŵp) – mae hyn yn hwyl ac yn gymorth gyda'r dysgu.
- Chwaraewch y gân drwyddi gan stopio mewn rhai mannau annisgwyl a holi pa air sy'n dod nesaf. Mae hyn yn gwneud i'r plant ganolbwyntio!

PWYNTIAU I'W HYSTYRIED

Anadlu/Brawddegu

- Gofynnwch i'r plant anadlu ar ddechrau brawddeg neu linell ac nid yng nghanol gair neu linell. Sicrhewch eu bod yn anadlu'n gywir – o'r diaffram, nid o'r frest. Peidiwch â chodi'r ysgwyddau!
- Sicrhewch fod y nodau'n cael eu dal am eu gwerth llawn.

Geirio

- Sicrhewch fod y geiriau'n cael eu hynganu'n gywir. Dylai'r cytseiniaid fod yn glir a'r llafariaid yn hir.
- Gwnewch ymarferion gwefus a thafod syml i wneud y plant yn fwy ymwybodol sut mae'r synau gwahanol yn cael eu ffurfio – la, la, la, ma, ma, ma. Mae'r iaith Gymraeg yn hynod ddefnyddiol ar gyfer hyn – cofiwch bwysleisio'r llythyren 'r' yn ôl yr angen.

Mynegiant/Dynameg

- Wedi trafod y geiriau a'u hystyr, ceisiwch sicrhau fod hyn yn cael ei adlewyrchu yn y canu gan ddefnyddio dynameg addas – cryf, tawel, yn cryfhau, yn distewi ac yn y blaen.
- Cadwch yr alaw i lifo ac anelwch at linell lyfn (*legato*).

Traw/Canu mewn Tiwn

- Os yw'r plant yn cael trafferth gyda chofio adran o'r gerddoriaeth, yna bydd yn rhaid adolygu'r adran nes iddynt ganu'r nodau cywir.
- Ceisiwch leoli plant sy'n ansicr o'u nodau yng nghanol ac o flaen plant sy'n sicr eu traw.
- Rhowch anogaeth i'r plant sy'n profi anawsterau traw (peidiwch â'u condemnio'n 'draw-fyddar'). Bydd llawer ohonynt yn gwella wrth ganu'n rheolaidd.
- Anogwch y plant i ganu'n unigol (ond nid o flaen gweddill y dosbarth) gan gymryd y traw gan lais yr athro/athrawes, ac nid o'r piano neu'r recordiad.

Ystum

- Canwch wrth sefyll neu'n eistedd yn syth.
- Cyfunwch hyn gydag ymarferiadau anadlu.
- Peidiwch â chroesi coesau – gosodwch y dwylo wrth yr ochr os yn bosibl.
- Canwch gyda'r plant mor aml ag sy'n bosibl.
- Ceisiwch gyfuno canu gyda symudiadau syml ar gyfer perfformiadau – mae sawl cân actol addas ar gyfer hyn yn *Ffrindiau*.

(Gyda diolch i Jean Stanley Jones)

SINGING WITH CHILDREN

PREPARATION

- Ensure that you are familiar with the song and feel confident and comfortable with it. Use the CD recording as a guide.
- Select a song that is relevant to the topic/theme and elements of music that are currently being discussed in class.
- Play the recording of the song to the children and discuss the words. This will help with expression in the performance.
- Choose a song that best suits the melodic/vocal range of the class.

TEACHING THE SONG

- Sing and play the song, or the recording, a number of times whilst the children listen.
- Teach the song by rote or place key words on an OHP/Poster on the wall in order to keep heads up.
- Divide the song into phrases or lines repeating each line until learnt
    i.e. sing the first phrase – children repeat until learnt
        (words and music together)
        sing the second phrase – children repeat until learnt
        sing the first and second phrase – children repeat
        and so on.
- Sing alternate lines with the teacher and each other (i.e. divide into two groups) – this is fun and aids learning.
- Play the song through, stopping in unusual places and asking which word comes next. This makes the children concentrate!

POINTS TO CONSIDER

Breathing/Phrasing

- Ask the children to breathe at the beginning of a phrase or line and not to breathe mid-word or mid-line. Make sure they breathe properly – from the diaphragm, not the chest. Don't raise the shoulders!
- Make sure that notes are held for their full value.

Diction

- Make sure that words are pronounced clearly. Consonants should be crisp and vowels long.
- Try simple lip and tongue exercises to make children aware how sounds are formed – la, la, la, ma, ma, ma. The Welsh language is particularly useful for this – remember to emphasise the letter 'r' when appropriate.

Expression/Dynamics

- Having discussed the meaning of the words, try to ensure that this is reflected in the singing by using appropriate dynamics – loud, quiet, getting louder, getting quieter etc.
- Keep the melody flowing and encourage a smooth (*legato*) line.

Pitch/Singing in Tune

- If children find a section difficult to remember, then revise the section until the correct notes are sung.
- Try and place children who are not sure of the notes with, and in front of, children who pitch notes well.
- Encourage children with pitch difficulties (do not condemn them as 'tone deaf'). They will improve with regular singing.
- Encourage them to sing individually (not in front of the class), pitching from the teacher's voice – not the piano or recording.

Posture

- Sing standing or seated upright.
- Combine with breathing exercises.
- Don't sit cross-legged – hands should be held at the sides if possible.
- Sing with the children as regularly as possible.
- Try to combine a song with simple movements for performances – there are many action songs in *Ffrindiau* suitable for this.

(With thanks to Jean Stanley Jones)

CYNNWYS • CONTENTS

1 DYDDIAU'R WYTHNOS
(DAYS OF THE WEEK)

Geiriau/*Words*: Valmai Williams

VALMAI WILLIAMS

2 Brysia, brysia, mae'n amser codi,
   Brysia, brysia, Un, dau, tri!
   Bore Mawrth, rhaid mynd i'r ysgol,
   Bore Mawrth, o ych a fi!

3 Brysia, brysia, mae'n amser codi,
   Brysia, brysia, Un, dau, tri!
   Bore Mercher, rhaid mynd i'r ysgol,
   Bore Mercher, o ych a fi!

4 Brysia, brysia, mae'n amser codi,
   Brysia, brysia, Un, dau, tri!
   Bore Iau, rhaid mynd i'r ysgol,
   Bore Iau, o ych a fi!

5 Brysia, brysia, mae'n amser codi,
   Brysia, brysia, Un, dau, tri!
   Bore Gwener, rhaid mynd i'r ysgol,
   Bore Gwener, o ych a fi!

6 Neb yn galw, dim sôn am frysio,
   Swatio dan y dwfe'n glyd.
   Bore Sadwrn, dydd gorau'r wythnos
   O na fyddai'n Sadwrn o hyd!

Wedi i'r plant ddysgu'r gân, gellir rhannu'r dosbarth yn ddau - llais 1 a llais 2.
Having taught the song to the children, the class may be divided into two groups - voice 1 and voice 2

12

DAYS OF THE WEEK
(*Literal Translation*)

1 Hurry, hurry, it's time to get up,
Hurry, hurry, one, two three!
Monday morning, must go to school
Monday morning, oh *ych a fi*!

2 Hurry, hurry, it's time to get up,
Hurry, hurry, one, two three!
Tuesday morning, must go to school
Tuesday morning, oh *ych a fi*!

3 Hurry, hurry, it's time to get up,
Hurry, hurry, one, two three!
Wednesday morning, must go to school
Wednesday morning, oh *ych a fi*!

4 Hurry, hurry, it's time to get up,
Hurry, hurry, one, two three!
Thursday morning, must go to school
Thursday morning, oh *ych a fi*!

5 Hurry, hurry, it's time to get up,
Hurry, hurry, one, two three!
Friday morning, must go to school
Friday morning, oh *ych a fi*!

6 Nobody's calling, no talk of hurrying,
I stay under the warm duvet.
Saturday morning, best day of the week
Shame every day is not a Saturday!!

Pa offerynnau taro allwch chi eu clywed?

What percussion instruments can you hear?

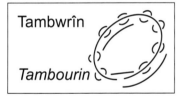

Tambwrîn

Tambourin

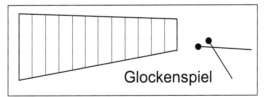

Glockenspiel

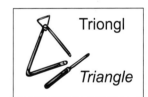

Triongl

Triangle

Clapiwch neu gallwch ddefnyddio offerynnau taro di-draw i gadw curiad cyson trwy gydol y gân.

Clap or use untuned percussion to keep a steady beat throughout the song.

Defnyddiwch farrau clych neu glockenspiel i chwarae'r patrwm canlynol fel cyfeiliant i'r gân.

Using chime bars or a glockenspiel, play the following pattern to accompany the song.

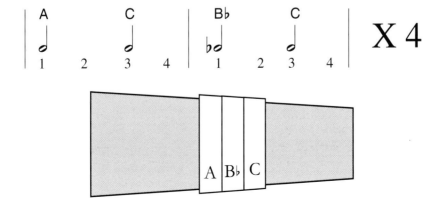

2 GWNEWCH FEL FI
(COPY ME)

Geiriau/*Words*: Valmai Williams

VALMAI WILLIAMS

Yn gryf/*Firmly*

1 Un, dau, tri, Gwnewch fel fi, Cu - ro dwy - lo, Un, dau, tri.

2 Clecian bysedd,

3 Stampio traed,

4 Tapio pen,

5 Rwbio dwylo.

COPY ME
(*Literal Translation*)

1 One, two, three,
   Copy me,
   Clap your hands,
   One, two, three.

2 One, two, three,
   Copy me,
   Click your fingers,
   One, two, three.

3 One, two, three,
   Copy me,
   Stamp your feet,
   One, two, three.

4 One, two, three,
   Copy me,
   Tap your head,
   One, two, three.

5 One, two, three,
   Copy me,
   Rub your hands,
   One, two, three.

Ceisiwch ganu'r gân yn ddigyfeiliant.

Try to sing the song unaccompanied.

Efelychwch symudiadau'r gân yn eich perfformiad.

Copy the actions of the song in your performance.

3 FI 'DI'R DEINOSOR
(I'M THE DINOSAUR)

Geiriau/*Words*: Robat Arwyn

ROBAT ARWYN

1 Dyd - w i ddim yn mynd i'r

ys - gol, _____ A - lla i ddim cic - io pêl.

Cytgan/*Chorus*

2 Dydwi ddim yn hoffi creision,
  Alla i ddim mynd mewn trên,
  Gwell gen i wneud clamp o dwrw,
  Er fy mod i'n ddigon clên!

Cytgan/*Chorus:*
  Dwi'n fawr a chry' . . .

I'M THE DINOSAUR!
(*Literal Translation*)

1 I'm not going to school,
   I can't kick a ball,
   I've never seen a toothbrush,
   And I hate honey sandwiches.

2 I don't like crisps,
   I can't ride in a train,
   I'd rather make a lot of sound,
   Though I'm quite kind!

Chorus:
I'm big and strong,
Bigger than a house,
I'm the dinosaur!

Symudwch i'r deinosor.

Move to the dinosaur.

Pa seiniau eraill (nid offerynnol) allwch chi eu clywed?

What other (non-instrumental) sounds can you hear?

4 DYDD A NOS
(DAY AND NIGHT)

Geiriau/*Words*: Valmai Williams

VALMAI WILLIAMS

DAY AND NIGHT
(*Literal Translation*)

Version 1

Here's a busy place,
Cars hooting, mothers hurrying
And children crying
Beeb, beeb, beeb, beeb,
Beeb, beeb, beeb, beeb,
All day, this is the sound
Of the street.
Well here's a quiet place
Nobody about just a cat prowling,
Sh! Sh!
When the night comes
There's not a sound in the night.

Version 2

Morning, morning,
Everyone trying their best,
Hurry, hurry down the street,
Cars hooting
Beeb, beeb, beeb, beeb,
This is the sound
We hear all the time,
Tonight, tonight,
Everyone is tired
Sh! Sh!
When the night comes
There's not a sound in the night.

Allwch chi glywed y seiniau sy'n dynodi sain y car? Sut mae'r gân yn awgrymu delweddau'r nos?

Can you hear the sounds that illustrate the sound of the car? How does the song suggest the image of the night?

5 NOW A NED
(NOW AND NED)

Geiriau/*Words*: Angharad Llwyd

LEAH OWEN

Wyt ti yn 'na - bod Now a Ned, Y

ddau gi bach sy'n byw yn y sièd? Maen nhw'n chwa-rae tric-iau O hyd ac o hyd Ond yn

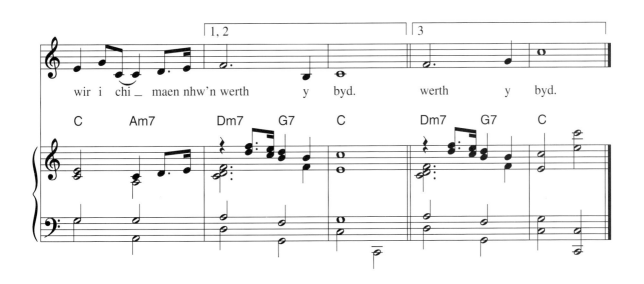

wir i chi _ maen nhw'n werth y byd. werth y byd.

23

2 Ac yna ddoe aeth Now a Ned
  I chwarae triciau ar 'rhen Ted,
  Paentio'i glustiau'n felyn
  A'i goesau yn binc,
  A gadael Ted yno'n sownd yn y sinc.

Cytgan:
  Wyt ti'n nabod . . .

NOW AND NED
(*Literal Translation*)

Chorus:
Do you know Now and Ned?
The two little dogs who live in the shed?
They're always playing tricks
But I tell you
They're worth the world.

1 One fine afternoon, Now and Ned
Were eating Uncle Cled's flowers,
Carrying a load of flies in a jam jar,
Before coming into the house
With their tails between their legs.

2 And then yesterday Now and Ned
Went to play tricks on old Ted,
Painting his ears yellow
And his legs pink,
Leaving Ted stuck in the sink.

Defnyddiwch farrau clych neu glockenspiel i chwarae'r patrwm canlynol fel cyfeiliant i'r gân.

Using chime bars or a glockenspiel, play the following pattern to accompany the song.

Wyt	ti yn 'na-bod	Now a Ned, Y	ddau gi bach sy'n	byw yn y sied? Mae nhw'n
	C	A	D	G
	o	o	o	o
	1 2 3 4	1 2 3 4	1 2 3 4	1 2 3 4

chwa-rae tric-iau O	hyd ac o hyd Ond yn	wir i chi maen nhw'n	werth y	byd.
C D	C A	C	D G	C
1 2 3 4	1 2 3 4	1 2 3 4	1 2 3 4	1 2 3 4

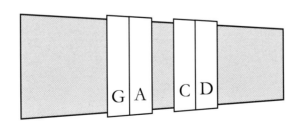

6 MAE GEN I
(I HAVE A)

Geiriau/*Words*: Angharad Llwyd

ANGHARAD LLWYD

2 Mae gen i dedi mawr
  Sy'n dal a chryf fel cawr,
  Mae'n bwyta mêl
  Neu frechdan jam,
  A hynny bob rhyw awr!

3 Mae gen i fochyn coch
  Sy'n gwneud sŵn soch soch soch,
  Mae'n fawr a thew
  Ond heb ddim blew,
  A gwên o foch i foch.

I HAVE A
(*Literal Translation*)

1   I have a little black train,
     That runs around the house,
     Under the table,
     At the back of the door,
     I tell you, it's fast!

2   I have a little teddy
     That's tall and strong as a giant,
     He eats honey
     Or a jam sandwich,
     And that every hour!

3   I have a red pig
     That makes a soch soch soch sound,
     He's big and fat
     But with no hair,
     And a smile from cheek to cheek.

Pa offeryn sy'n chwarae mewn arddull ffanffer yn y gân?

Which instrument plays fanfare like fills in the song?

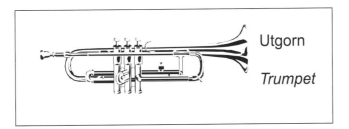

Utgorn

Trumpet

Clapiwch neu gallwch ddefnyddio offerynnau taro di-draw i gopïo'r rhythm trawsacen sydd yn y cyfeiliant.

Clap or use untuned percussion to copy the offbeat rhythm of the accompaniment.

7 DAWNSIO DYDD LLUN
(DANCING ON MONDAY)

Geiriau/*Words*: Morfudd Sinclair

MORFUDD SINCLAIR

Ca - nu yn da-wel, yn ddis-taw, ddis-taw bach, Ca-nu cân o ddi-olch ein bod ni yn iach.

2 Dyma sut i ddeffro ar fore dydd Llun,
Neidio ar ein traed a gwenu ar bob un,
Chwifio ein breichiau yn gynt ac yn gynt,
Chwifio, chwifio, chwifio fel melin wynt
Dyma sut i ddeffro ar fore dydd Llun,
Neidio ar ein traed a gwenu ar bob un.

3 Dyma sut i ddeffro ar fore dydd Llun,
Rhedeg rownd a rownd a gwenu ar bob un,
Siglo ein coesau yn ôl ac ymlaen,
Siglo, siglo, siglo yn uwch nag o'r blaen,
Dyma sut i ddeffro ar fore dydd Llun,
Rhedeg rownd a rownd a gwenu ar bob un.

4 Dyma sut i orffwys . . .

DANCING ON MONDAY
(*Literal Translation*)

1 This is how to wake up on Monday morning,
  Get up on our feet and smile at everyone,
  Shake our hands and lift them above our head,
  Lift, lift, lift, until we reach the heavens.
  This is how to wake up on Monday morning,
  Get up on our feet and smile at everyone.

2 This is how to wake up on Monday morning,
  Jump up on our feet and smile at everyone,
  Wave our arms quicker and quicker,
  Wave, wave, wave like a windmill.
  This is how to wake up on Monday morning,
  Jump up on our feet and smile at everyone.

3 This is how to wake up on Monday morning,
  Run round and round and smile at everyone,
  Rock our legs back and forth,
  Rock, rock, rock higher than before,
  This is how to wake up on Monday morning,
  Run round and round and smile at everyone.

4 This is how to rest on Monday morning,
  Sit on the floor and smile at everyone,
  Sing quietly,
  Very quietly,
  A song of thanks
  That we are healthy.

Copïwch symudiadau'r gân yn eich perfformiad. Ym mha ffordd y mae'r bennill olaf yn wahanol?

Copy the actions of the song in performance. How is the last verse different?

8 TITW'R GATH A PHERO'R CI
(TITW THE CAT AND PERO THE DOG)

Geiriau/*Words*: Morfudd Sinclair

MORFUDD SINCLAIR

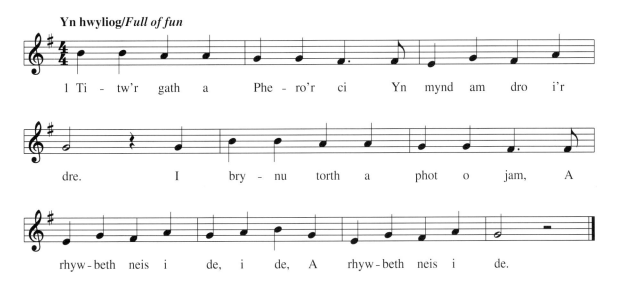

1 Ti-tw'r gath a Phe-ro'r ci Yn mynd am dro i'r dre. I bry-nu torth a phot o jam, A rhyw-beth neis i de, i de, A rhyw-beth neis i de.

2 Titw'r gath a Phero'r ci
Yn dod yn ôl o'r siop,
Â hufen iâ a phecyn crisps
A photel fawr o bop, iym, iym!
A photel fawr o bop.

3 Titw'r gath a Phero'r ci
Mewn helynt fawr yn siŵr,
Does dim i'w fwyta yn y tŷ
Ond bara sych a dŵr, ych, ych!
Ond bara sych a dŵr.

31

TITW THE CAT AND PERO THE DOG
(*Literal Translation*)

1 Titw the cat and Pero the dog
   Go for a walk to the town,
   To buy a loaf and pot of jam,
   And someting nice for tea, for tea,
   And something nice for tea.

2 Titw the cat and Pero the dog
   Come back from the shop,
   With ice cream and a packet of crisps
   And a big bottle of pop, yum, yum!
   And a big bottle of pop.

3 Titw the cat and Pero the dog
   Really are in big trouble,
   There's nothing to eat in the house
   But for dry bread and water, *ych, ych*!
   But for dry bread and water.

Ceisiwch ganu'r gân yn ddigyfeiliant. Amlygwch y gwrthgyferbyniad yn y geiriau yn eich perfformiad.

Try to sing the song unaccompanied. Highlight the contrast of the words in the performance.

9 DAWNS YR INDIAID
(DANCE OF THE INDIANS)

Geiriau/*Words*: Morfudd Sinclair

MORFUDD SINCLAIR

Yn gryf/*Firmly*

1 Ni y - dy'r In - diaid sy'n ta - ro, ta - ro ar y drwm,

Ni y - dy'r In - diaid sy'n ta - ro, ta - ro ar y drwm.

Hai, ha - ia, ha - ia, ha - ia, Hai, ha - ia, ha - ia, ha,

Hai, ha - ia, ha - ia, ha - ia, Hai, ha - ia, ha - ia, ha,

Bwm!   Bwm!   Bwm!   Bwm!

2 Ni y - dy'r In - diaid sy'n dawn - sio, dawn - sio i sŵn y drwm,

Ni y - dy'r In - diaid sy'n dawn - sio, dawn - sio i sŵn y drwm.

Hai, ha - ia, ha - ia, ha - ia, Hai, ha - ia, ha - ia, ha,

Hai, ha - ia, ha - ia, ha - ia, Hai, ha - ia, ha - ia, ha,

Bwm!   Bwm!   Bwm!   Bwm!

33

DANCE OF THE INDIANS
(*Literal Translation*)

1 We are the Indians beating, beating on the drum,
   We are the Indians beating, beating on the drum,
   Hy, hya, hya, hya, Hy, hya, hya, ha,
   Hy, hya, hya, hya, Hy, hya, hya, ha,
   Boom! Boom! Boom! Boom!

2 We are the Indians dancing, dancing to the sound of the drum,
   We are the Indians dancing, dancing to the sound of the drum,
   Hy, hya, hya, hya, Hy, hya, hya, ha,
   Hy, hya, hya, hya, Hy, hya, hya, ha,
   Boom! Boom! Boom! Boom!

Defnyddiwch farrau clych neu glockenspiel i chwarae'r patrwm canlynol fel cyfeiliant i'r gân.

Using chime bars or a glockenspiel, play the following pattern to accompany the song.

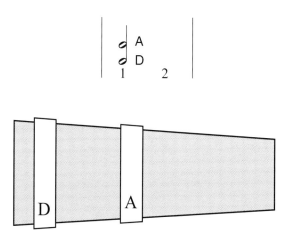

Clapiwch neu gallwch ddefnyddio offerynnau taro di-draw (byddai drwm yn ddelfrydol) i chwarae'r rhythm canlynol trwy gydol y gân (Ostinato).

Clap or use untuned percussion (a drum would be ideal) to play the following rhythm repeatedly throughout the song (Ostinato).

10 DEG O WYAU
(TEN EGGS)

Geiriau/*Words*: Valmai Williams

VALMAI WILLIAMS

Yn gymedrol/*Moderately*

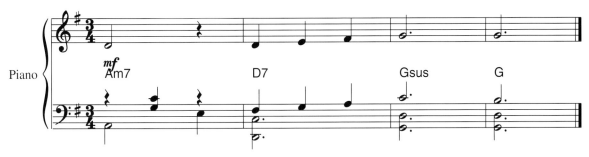

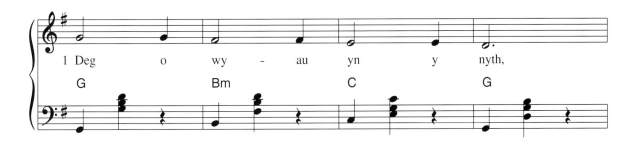

1 Deg o wy - au yn y nyth,

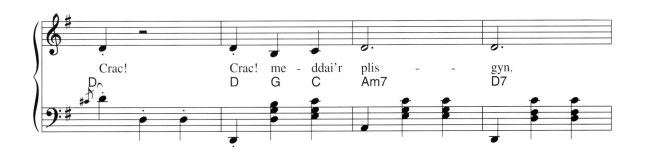

Crac! Crac! me - ddai'r plis - gyn.

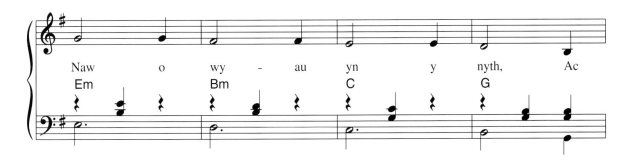

Naw o wy - au yn y nyth, Ac

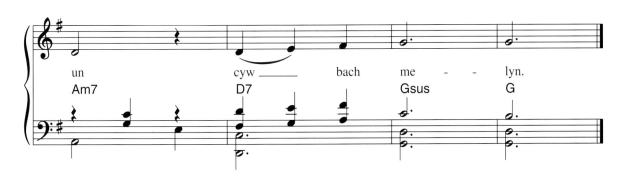

un cyw bach me - lyn.

2 Naw o wyau yn y nyth,
   Crac! Crac! meddai'r plisgyn.
   Wyth o wyau yn y nyth,
   A dau gyw bach melyn.

3 Wyth o wyau yn y nyth,
   Crac! Crac! meddai'r plisgyn.
   Saith o wyau yn y nyth,
   A thri chyw bach melyn.

4 Saith o wyau yn y nyth,
   Crac! Crac! meddai'r plisgyn.
   Chwech o wyau yn y nyth,
   A phedwar cyw bach melyn.

5 Chwech o wyau yn y nyth,
   Crac! Crac! meddai'r plisgyn.
   Pump o wyau yn y nyth,
   A phum cyw bach melyn.

6 Pump o wyau yn y nyth,
   Crac! Crac! meddai'r plisgyn.
   Pedwar o wyau yn y nyth,
   A chwe chyw bach melyn.

7 Pedwar o wyau yn y nyth,
   Crac! Crac! meddai'r plisgyn.
   Tri o wyau yn y nyth,
   A saith cyw bach melyn.

8 Tri o wyau yn y nyth,
   Crac! Crac! meddai'r plisgyn.
   Dau o wyau yn y nyth,
   Ac wyth cyw bach melyn.

9 Dau o wyau yn y nyth,
   Crac! Crac! meddai'r plisgyn.
   Un wy bach sydd yn y nyth,
   A naw cyw bach melyn.

10 Un wy bach sydd yn y nyth,
   Crac! Crac! meddai'r plisgyn.
   Dim ond plisgyn yn y nyth,
   A deg cyw bach melyn!

TEN EGGS
(*Literal Translation*)

1 Ten eggs in the nest
   Crack! Crack! says the shell.
   Nine eggs in the nest,
   And one little yellow chicken.

2 Nine eggs in the nest
   Crack! Crack! says the shell.
   Eight eggs in the nest,
   And two little yellow chickens.

3 Eight eggs in the nest
   Crack! Crack! says the shell.
   Seven eggs in the nest,
   And three little yellow chickens.

4 Seven eggs in the nest
   Crack! Crack! says the shell.
   Six eggs in the nest,
   And four little yellow chickens.

5 Six eggs in the nest
   Crack! Crack! says the shell.
   Five eggs in the nest,
   And five little yellow chickens.

6 Five eggs in the nest
   Crack! Crack! says the shell.
   Four eggs in the nest,
   And six little yellow chickens.

7 Four eggs in the nest
   Crack! Crack! says the shell.
   Three eggs in the nest,
   And seven little yellow chickens.

8 Three eggs in the nest
   Crack! Crack! says the shell.
   Two eggs in the nest,
   And eight little yellow chickens.

9 Two eggs in the nest
   Crack! Crack! says the shell.
   One egg in the nest,
   And nine little yellow chickens.

10 One little egg in the nest
   Crack! Crack! says the shell.
   Only one shell in the nest,
   And ten little yellow chickens!

Defnyddiwch farrau clych neu glockenspiel i chwarae'r patrwm canlynol fel cyfeiliant i'r gân.

Using chime bars or a glockenspiel, play the following pattern to accompany the song.

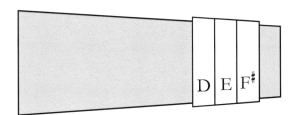

11 SIAPAU
(SHAPES)

Geiriau/*Words*: Valmai Williams

VALMAI WILLIAMS

Yn ysgafn/*Lightly*

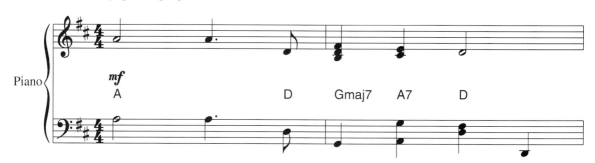

2 Llygaid bach yn effro,
Dwedwch i mi
Pa siâp, tybed, ydwyf i?
Sgwâr, sgwâr, yn siwr i chi.

3 Llygaid bach yn effro,
Dwedwch i mi
Pa siâp, tybed, ydwyf i?
Tri-ongl, yn siwr i chi.

4 Llygaid bach yn effro,
Dwedwch i mi
Pa siâp, tybed, ydwyf i?
Petrual, yn siwr i chi.

38

SHAPES
(*Literal Translation*)

1 Little eyes awake,
   Tell me
   What shape am I?
   Round, round I'm sure.

2 Little eyes awake,
   Tell me
   What shape am I?
   Square, square, I'm sure.

3 Little eyes awake,
   Tell me
   What shape am I?
   Triangular, I'm sure.

4 Little eyes awake,
   Tell me
   What shape am I?
   Rectangular, I'm sure.

Gwnewch y siapau gyda'ch dwylo wrth i chi berfformio'r gân. Ydych chi'n gallu enwi'r offerynnau a ddefnyddir i ddynodi pob siâp?

Make the shapes with your hands during the performance of the song. Can you name the different instruments used to portray each shape?

12 Y DERYN DU
(THE BLACKBIRD)

Geiriau/*Words*: Tudur Dylan Jones

GWENNANT PYRS

Fe we-lais i a - de - ryn du _

Yn ca-nu'n drist wrth ddrws y tŷ,   Fe we-lais i ei   fod yn wan _

Ar ôl cael hed - fan i   bob _ man. _____

2 Fe roddais ddŵr i olchi'i ben,
   Fe roddais wair a blanced wen,
   Fe roddais focs yn gartref clyd
   I gael y deryn 'nôl i'r byd.

3 Mewn wythnos roedd y flanced wen
   A dim aderyn ar ei ben,
   Fe glywais i y deryn du
   Yn canu'n llon ar ben y tŷ.

THE BLACKBIRD
(*Literal Translation*)

1 I saw a blackbird
    Singing sadly by the house door,
    I saw that he was weak
    After having flown everywhere.

2 I gave water to wash his head,
    I gave hay and a white blanket
    I gave a box as a warm home
    To get the bird back into the world.

3 In a week the white blanket
    Was without a bird on it,
    I heard the blackbird
    Singing cheerfully on top of the house.

Awgrymwch seiniau offerynnol addas (tiwniedig a di-draw) i'w defnyddio gyda'r gân hon.

Suggest suitable instrumental sounds (tuned and untuned) to use with this song.

13 Y CYFRIFIADUR
(THE COMPUTER)

Geiriau/*Words:*Mary S. Jones

MARY S. JONES

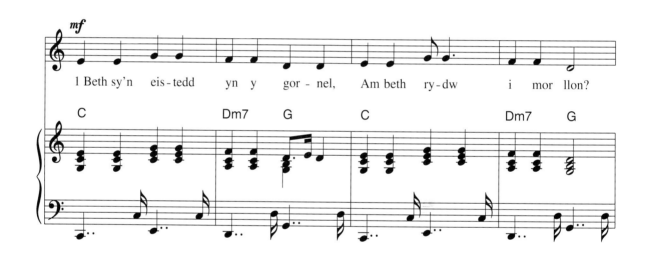

1 Beth sy'n eis-tedd yn y gor-nel, Am beth ry-dw i mor llon?

An-rheg neis gan da-di— Cyf-rif - ia-dur ne-wydd sbon!

2 'Sut mae cael y peth i wei-thio?' Dy-na gwes-tiwn Mam i mi,

C   Dm7 G   C   Dm7 G

'Does gen i ddim sy-niad, Ma-mi, Nac oes, wir i chi.'

C   G   C7   F   C   F   G7

3 Pwy-so bo-twm mae o'n ta-nio, Gweld y llu-niau ar y sgrin,

F   Dm7   C   Dm7   G   C G7 C

A chy-syll-tu ar y mo-dem, croe-si am-bell ffin.

F   Dm7   C   F   Dm7   Eb G

4 Dod i dde-all sut mae syr-ffio i bob man trwy'r byd i gyd!

An-fon e-bost at fy ffrin-diau Sy'n byw lawr y stryd!

5 Beth sy'n dig-wydd rw-an, dwe-dwch? Ffar-wél i fy ffrin-diau cu,

Mam sydd we-di ffein-dio'r bo-twm! Nawr mae'r sgrin i gyd yn ddu!

Arafach/_Slower_

THE COMPUTER
(*Literal Translation*)

1 What is sitting in the corner,
   Why am I so happy?
   A nice present from dad –
   A brand new computer!

2 "How do we get the thing to work?"
   That is mum's question to me,
   "I've got no idea, mum,
   Really, no."

3 Press a button it starts,
   See the pictures on the screen,
   And connect on the modem,
   Cross many a border.

4 Get to understand how to surf
   To everywhere throughout the world!
   Send a message to my friends
   That live down the road!

5 What's happening now tell me?
   Farewell to my dear friends,
   Mum has found the button!
   Now the screen is all black!

Clapiwch neu gallwch ddefnyddio offerynnau taro di-draw i gadw curiad cyson a bywiog trwy gydol y gân. Defnyddiwch ddawns dwylo wrth i chi berfformio'r gân.

Clap or use untuned percussion to keep a steady and lively beat throughout the song. Use hand jive as the song is performed.

14 YR ENFYS
(THE RAINBOW)

Geiriau/*Words*: Mary S. Jones

MARY S. JONES

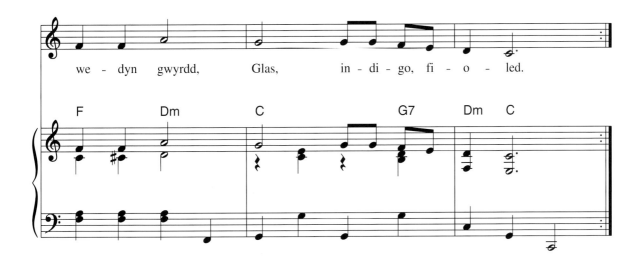

we - dyn gwyrdd, Glas, in - di - go, fi - o - led.

2 Pwy a wnaeth ei lliwiau hardd?
   Pwy a'i rhoddodd yn yr ardd?
   'Nôl yr hanes wyddoch chi,
   Tylwyth Teg a'i lluniodd hi!

3 Pam y daeth i 'ngardd fach i?
   Pam mae'n hongian uwch fy nhŷ?
   Tywydd braf sy'n ei phen draw,
   Pont o hud yw pont y glaw!

THE RAINBOW
(*Literal Translation*)

1 What is here above my head?
  What is hanging high in the heavens?
  What is bending over the house?
  Can you see the rainbow?

2 Who made its' beautiful colours?
  Who put it in the garden?
  According to legend you know,
  A fairy made it!

3 Why did it come to my little garden?
  Why is it hanging above my house?
  Fine weather is coming;
  The bridge of rain is a bridge of magic!

Chorus
Red, orange, yellow and then green,
Blue, indigo, violet.

Archwiliwch offerynnau addas i bortreadu'r enfys.

Explore suitable instruments to portray the rainbow.

15 FI FY HUN
(ME MYSELF)

Geiriau/*Words*: Mary S. Jones

MARY S. JONES

2 Dwy glust i wrando sydd gen i,
   Ar bob un athro, wir i chi!
   Miss Jones sy'n dweud stori,
   Un arall plîs, fory?
   Bydd llyfr newydd eto'n ein dosbarth ni!

3 Trwyn i arogli sydd gen i,
   Mae'r blodau'n hyfryd, wir i chi!
   Mae ceg fawr i fwyta
   Llysiau a ffrwythau,
   A thafod i ganu'n llon i chi!

ME MYSELF
(*Literal Translation*)

1 I've got two shiny eyes,
I see each one of you!
I see Glyn hiding
Over by the flowers,
And Siân sitting there,
There she is!

2 I've got two ears to listen,
To each teacher, really!
Miss Jones tells a story,
Another one tomorrow please?
There'll be another new book
In our class!

3 I've got a nose to smell,
The flowers are lovely, really!
A big mouth to eat
Vegetables and fruit,
And a tongue to sing cheerfully for you!

Copïwch symudiadau'r gân yn eich perfformiad. Pa symudiadau eraill allwch chi eu hawgrymu?

Copy the actions of the songs in performance. What other actions can you suggest?

16 EIN PENTREF NI
(OUR VILLAGE)

Geiriau/*Words*: Mary S. Jones

MARY S. JONES

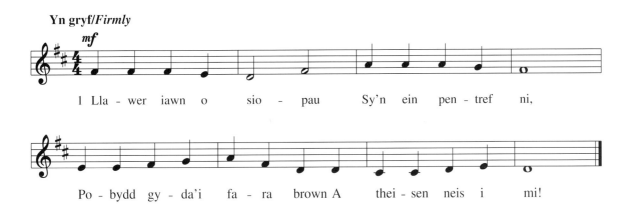

Yn gryf/*Firmly*

1 Lla - wer iawn o sio - pau Sy'n ein pen - tref ni,

Po - bydd gy - da'i fa - ra brown A thei - sen neis i mi!

2 Dacw siop y gornel
   Gyda dewis hael,
   Fferins, (Losin) siocled, hufen iâ —
   Mae popeth da ar gael!

3 Draw fan hyn mae'r ysgol,
   Nesaf at y cae,
   Mathemateg ar ddydd Mawrth
   Ond gêmau ar ddydd Iau!

4 Nesaf nawr fe welwch
   Tŷ ein teulu ni,
   Dyma gartref Mam a Dad
   A Bethan fach—a fi!

OUR VILLAGE
(*Literal Translation*)

1 There are many shops
In our village,
A baker with his brown bread
And a nice cake for me!

2 There's the corner shop
With a great choice,
Sweets, chocolate, ice cream –
Everything good is there!

3 Over here is the school,
Next to the field,
Mathematics on Tuesday
But games on Thursday!

4 Next you'll now see
Our family's house,
This is the home of Mum and Dad
And little Bethan – and me!

Ceisiwch berfformio'r gân fel tôn gron ddigyfeiliant. Beth sydd yn eich pentref neu'ch tref chi?

Try to perform the song as an unaccompanied round. What is in your village or town?

52

17 CYSGA DI
(SLEEP NOW)

Geiriau/*Words*: Mary S. Jones

MARY S. JONES

Fel hwiangerdd/*Like a lullaby*

Cys - ga di,   fy   ma - bi tlws,   Si   hei   lw - li lws,

Gwy - lio'n dy - ner mae dy fam,   Cys - ga di,   chei di ddim cam.

SLEEP NOW
(*Literal Translation*)

Sleep now, my pretty baby,
See hey looly lws,
Your mother is watching tenderly,
Sleep now, you'll get no harm.

Ceisiwch berfformio'r gân fel tôn gron ddigyfeiliant. Archwiliwch offerynnau addas i greu cân ddistaw. *Try to perform the song as an unaccompanied round. Explore suitable instruments to produce a quiet song.*

18 FFRINDIAU
(FRIENDS)

Geiriau/*Words:*Tudur Dylan Jones

GWENNANT PYRS

Yn fywiog/*Lively*

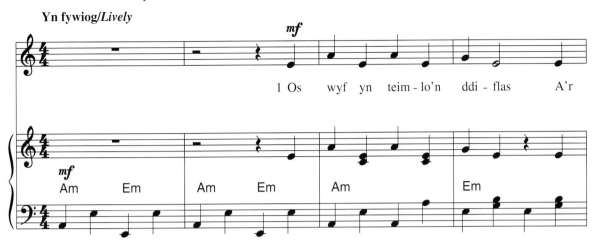

1 Os wyf yn teim - lo'n ddi - flas A'r

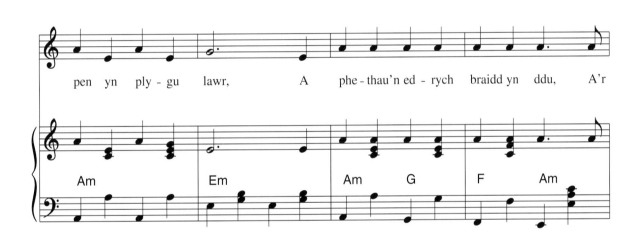

pen yn ply - gu lawr, A phe - thau'n ed - rych braidd yn ddu, A'r

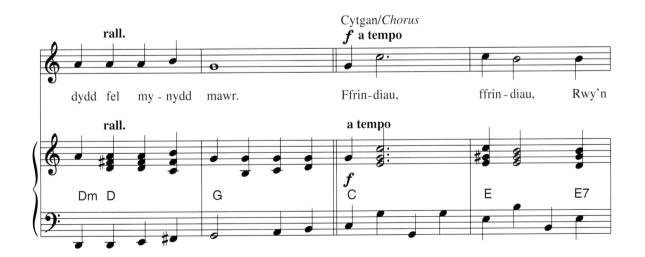

dydd fel my - nydd mawr. Ffrin - diau, ffrin - diau, Rwy'n

co - di 'mhen i'r go - lau A gwe - nu ar fy
ffrin - diau, Y go - rau yn y byd.

F · Am C · Em G7 · C · G · C

2 Mae ffrindiau'n gallu chwerthin
   A chwarae a chael sbri,
   Rwy'n gwybod bod fy ffrindiau
   Yn werth y byd i mi.
Cytgan/*Chorus:*
   Ffrindiau, ffrindiau . . .

3 Mae ffrindiau'n codi calon
   A gwenu'n llon o hyd,
   Mae ffrindiau da yn werthfawr,
   Y gorau yn y byd.
Cytgan/*Chorus:*
   Ffrindiau, ffrindiau . . .

FRIENDS
(*Literal Translation*)

1 If I'm feeling low
   And my head bowing down,
   And things looking a little black,
   And the day like a big mountain.

2 Friends can laugh
   And play and have fun,
   I know that my friends
   Are worth the world to me.

3 Friends lift your heart
   And always smile cheerfully,
   Good friends are valuable,
   The best in the world.

Chorus:
Friends, friends,
I lift my head to the light
And smile at my friends,
The best in the world.

Clapiwch neu gallwch ddefnyddio offerynnau taro di-draw i chwarae'r rhythm canlynol trwy gydol y gân (Ostinato). Awgrymwch seiniau addas, rhai hapus a thrist.

Clap or use untuned percussion to play the following rhythm repeatedly throughout the song (Ostinato). Suggest suitable sounds, both happy and sad.

RHAGOR O LYFRAU CANU GWYCH AR GYFER PLANT GAN **CURIAD**!

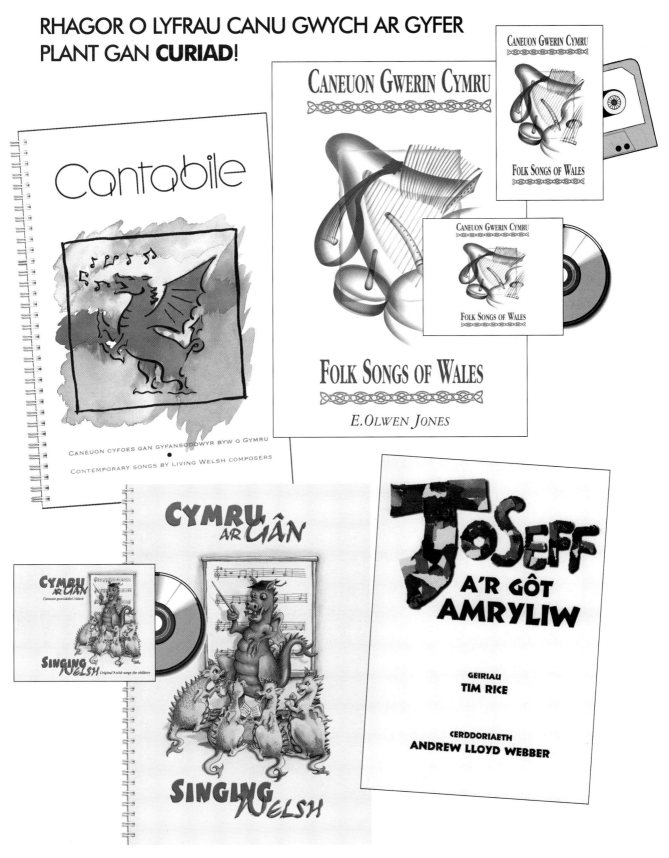

MORE GREAT SONG BOOKS FOR CHILDREN FROM **CURIAD**!

Danfonwch am gatalog llawn heddiw!
Send for a full catalogue today!